Bienven
dans le mon

Téa

Salut, c'est Téa, la sœur de Geronimo Stilton! Je suis envoyée spéciale de *l'Écho du rongeur*, le journal le plus célèbre de l'île des Souris. J'adore les voyages et j'aime rencontrer des gens du monde entier, comme les Téa Sisters. Ce sont cinq amies vraiment épatantes. Je te les présente!

Paulina

Altruiste et solaire, elle aime voyager et fréquenter des gens de tous les pays. Elle a un réel talent pour la technologie et les ordinateurs!

Paméla

Mécanicienne accomplie: avec un tournevis, elle répare n'importe quoi! Elle aime cuisiner, mais pourrait manger de la pizza midi et soir.

Colette

Elle a une vraie passion pour les vêtements et les accessoires, surtout roses! Plus tard, elle aimerait devenir journaliste de mode.

Nicky

Originaire d'Australie, elle est passionnée par le sport, l'écologie et la nature. Elle aime vivre au grand air et ne tient pas en place!

Violet

Elle adore lire et apprendre sans cesse de nouvelles choses. Amatrice de musique classique, elle rêve de devenir un jour une grande violoniste!

Veux-tu devenir une Téa Sister?

▼

J'aime ....
....
....
....
....
....

Texte de Téa Stilton.
Coordination des textes de Chiara Richelmi *(Atlantyca S.p.A.).*
Collaboration éditoriale de Carolina Capria *et* Mariella Martucci.
Coordination éditoriale de Daniela Finistauri.
Édition de Daniela Finistauri *et* Benedetta Biasi.
Direction artistique de Iacopo Bruno.
Couverture de Barbara Pellizzari *(dessins) et* Flavio Ferron *(couleurs).*
Conception graphique de Paola Berardelli / theWorldofDOT.
Illustrations des pages de début et de fin de Barbara Pellizzari *(dessins)*
et Flavio Ferron *(couleurs).*
Cartes de Caterina Giorgetti *(dessins) et* Flavio Ferron *(couleurs).*
Illustrations intérieures de Valeria Brambilla *(dessins) et* Francesco Castelli *(couleurs).*
Coordination artistique de Flavio Ferron.
Assistance artistique de Tommaso Valsecchi.
Graphisme de Chiara Cebraro.
*Basé sur une idée originale d'*Elisabetta Dami.
Traduction de Béatrice Didiot.

www.geronimostilton.com

Pour l'édition originale :
© 2015, Edizioni Piemme S.p.A. – Palazzo Mondadori, Via Mondadori, 1 – 20090 Segrate, Italie
sous le titre *I dolci del cuore*
International rights © Atlantyca S.p.A. – Via Leopardi, 8 – 20123 Milan, Italie
www.atlantyca.com – contact : foreignrights@atlantyca.it
Pour l'édition française :
© 2018, Albin Michel Jeunesse – 22, rue Huyghens, 75014 Paris
Loi 49-956 du 16 juillet 1949 sur les publications destinées à la jeunesse
Dépôt légal : juillet 2018
Numéro d'édition : 22941
Isbn-13 : 978 2 226 40335 3
Imprimé en France par Pollina s.a. en mai 2018 - 85373

Stilton est le nom d'un célèbre fromage anglais. C'est une marque déposée de Stilton Cheese Makers'
Association. Pour plus d'informations, vous pouvez consulter le site www.stiltoncheese.com

Téa Stilton

Une pâtisserie de rêve

ALBIN MICHEL JEUNESSE

UNE JOURNÉE EXTRAORDINAIRE !

Ce soir-là semblait être un soir comme tant d'autres au collège de Raxford : après le DÎNER, les étudiants avaient regagné leurs chambres et éteint leurs lumières. Mais dès que l'obscurité régna… l'atmosphère se TRANSFORMA. Des murmures résonnèrent dans les couloirs et un cortège de SILHOUETTES traversa la pénombre pour se rendre… à un rendez-vous SECRET !

Tous les noctambules avaient reçu cette mystérieuse invitation :

RÉUNION EXTRAORDINAIRE !

Rejoins-nous à la bibliothèque ce soir : nous avons une nouvelle importante à te communiquer.

ON COMPTE SUR TOI !

Les Téa Sisters

Les Téa Sisters attendaient leurs camarades dans la salle de lecture de la bibliothèque. Quand le dernier d'entre eux eut refermé la porte, Colette lança à l'attention de tous :

– BIEN, ON PEUT COMMENCER !

– Qui sait ce qu'elles peuvent avoir à nous apprendre, murmura Shen à son ami Craig, qui se tenait debout derrière lui.

Humpf !

– J'espère que vous ne nous avez pas fait venir pour **RIEN** ! J'ai renoncé à une fête très *sélect* pour être là ! lâcha Vanilla avec un air ennuyé.

Connie, Zoé et Alicia s'empressèrent d'acquiescer.

Échangeant un **REGARD** complice avec ses propres amies, Colette répliqua :

– Quand vous aurez entendu ce que Paulina a à vous dire, je suis sûre que vous serez contents d'être venus !

Aussitôt, sa voisine prit la parole :

– Ce matin, quand le facteur est **PASSÉ**, j'étais dans la cour, pas loin de M. de Ratis. Sans le vouloir, je l'ai vu ouvrir l'une de ses lettres…

– Continue… l'encouragea Pam.

– Ce n'était pas un  COURRIER officiel, mais une carte de vœux musicale, **révéla** la jeune fille. Et pas n'importe laquelle : l'une de celles qui jouent «JOYEUX ANNI-VERSAIRE»!

– Donc aujourd'hui, c'était l'anniversaire du recteur?! s'exclama Tanja.

– C'est ce que j'ai pensé aussi, répondit Paulina. Mais impossible de lui poser la question : quand

la musique a commencé, M. de Ratis est devenu tout ROUGE, il a caché le pli sous sa veste et a filé À TOUTE VITESSE !

– Et c'est maintenant que tu nous dis ça? s'étonna Ron. On ne peut même PLUS lui présenter nos vœux.

– Détrompe-toi, intervint Nicky. La carte est ARRIVÉE avec un peu d'avance...

– Comment le sais-tu? s'enquit Tanja.

Violet se chargea de lui répondre :

– Quand Paulina nous a raconté ce qui s'était passé, nous avons mené l'ENQUÊTE...

– Comme notre recteur a été élève de cet établissement, nous sommes allées éplucher les albums des anciennes promotions et nous avons découvert que la grande DATE est dans trois jours ! conclut Colette, rayonnante.

– Chouette ! se réjouit Elly. Nous sommes donc toujours dans les **TEMPS** !

– Exact ! confirma Paméla. Et la grande nouvelle est que nous avons décidé d'organiser en l'honneur de notre recteur une…

T'OUT CE QU'IL FAUT!

Octave Encyclopédique de Ratis était un chef d'établissement juste et attentif, toujours prêt à écouter, conseiller ou encourager ses étudiants... bref, un recteur **fanta-souristique** !

Et pour un tel rongeur, il fallait une fête d'anniversaire... fantasouristique, elle aussi !

– Alors, voyons où nous en sommes ! lança Colette en s'installant dans le jardin avec ses amis. Les invitations sont prêtes ?

– Oui, répondirent en chœur Elly et Tanja. Nous les distribuerons aujourd'hui même à **TOUS** les professeurs et étudiants.

Colette barra « Rédiger les **invitations** » de la liste des choses à faire.

– Et les décorations ?

– Nous avons préparé une banderole à **suspendre** dans la grande salle, dit Shen.

– Et les ballons n'attendent plus que d'être gonflés ! ajouta Ron.

– Très bien, dit Colette en jetant un nouveau coup d'œil à sa feuille.

Pam, où en es-tu avec les gâteaux ?

La jeune fille, qui avait proposé de s'occuper du **BUFFET**, sortit un carnet de

FAIT !

PRÉPARATIFS
pour la fête du recteur

* ~~Rédiger les invitations~~
* accrocher guirlandes
* gonfler ballons
* acheter moules à gâteaux (petits et grands)
* préparer le buffet (desserts et boissons)

son sac et l'ouvrit à une page couverte de notes écrites en tout petit.

– J'ai un tas d'idées, et les recettes qui vont avec ! À ce propos, il est plus que temps que je **FILE** au *Zanzibazar* acheter ce qu'il me faut !

Sur ces mots, elle salua ses amis, sauta dans son **4X4** et se rendit au magasin le plus fourni de l'île des Baleines. Comme toujours, Tamara, la propriétaire, prit la peine de l'accueillir.

– Je dois préparer un tas de douceurs pour un **ANNIVERSAIRE**, lui annonça Paméla, et j'aurais besoin de plaques à pâtisserie, de spatules, de caissettes…

Le visage de Tamara se fendit d'un grand sourire.

– Très bien, je devrais pouvoir te trouver ça…
SUIS-MOI !

La jeune femme emmena Paméla à l'espace « pâtisserie », au fond du magasin. Il y avait là plus d'ACCESSOIRES que l'étudiante en avait jamais vu !

– **Par mille bielles débiellées !** s'exclama celle-ci. Je ne savais pas que tu avais toutes ces *merveilles* !

– C'est la partie du magasin que je préfère. J'adore faire des **GÂTEAUX** et conseiller les clients qui ont la même *passion* que moi !

Tandis que toutes deux s'attardaient à bavarder, Paméla

L'ASTUCE DE TAMARA
Pour obtenir des petits gâteaux de taille égale, dose la pâte à verser dans les caissettes avec une cuillère à glace !

découvrit autre chose : en plus d'être bonne PÂTISSIÈRE, Tamara débordait d'idées originales et d'astuces à partager.

– Alors, si j'ai besoin d'un conseil, je peux t'appeler ? demanda-t-elle en sortant du *Zanzibazar*, chargée de nombreux sacs.

– Bien sûr, quand tu veux ! répondit Tamara en souriant. À bientôt !

Avant de partir, Paméla jeta un coup d'œil au magasin : à présent, Tamara mettait en vitrine des emporte-pièces pour confectionner des biscuits. En l'observant, la jeune fille se dit qu'elle ne l'avait jamais VUE aussi heureuse que lorsqu'elle lui avait parlé de ses…

FABULEUSES GOURMANDISES !

UNE PANNE
IMPRÉVUE

En moins de temps qu'il n'en faut pour le dire, le jour de l'ANNIVERSAIRE du recteur arriva.

Tout était prêt, si l'on exceptait les habituelles tâches de dernière MINUTE, dont une particulièrement importante : empêcher le héros du jour de découvrir qu'on préparait une fête en son honneur !

Dans la matinée, les Téa Sisters avaient réussi à *éviter* 1) que le recteur n'entre dans la grande salle, déjà pleine de ballons 2) qu'il n'approche du local où Tanja, Elly, Ron et Craig répétaient la *chanson* qui accompagnerait son entrée.

À présent, les filles devaient encore se débrouiller pour que son chemin ne **CROISE** pas celui de Paméla, qui s'apprêtait à transporter ce qu'elle avait acheté au *Zanzibazar* de sa chambre à la cuisine.

– C'est bon, Pam ! **La voie est libre !**

lui lança Colette après avoir regardé à travers l'entrebâillement de la porte.

Paméla se faufila dans le couloir, suivie de Colette, qui, au bout de quelques **MÈTRES**, reçut un texto de Paulina : « **Le recteur arrive !** »

Immédiatement, Paméla rebroussa chemin, et

elle réussit à RENTRER dans sa chambre au moment même où M. de Ratis franchissait l'angle du couloir.

– Colette, attends! cria-t-il en apercevant la seconde jeune fille, qui s'éloignait À TOUTE VITESSE pour rejoindre son amie.

EUH... MERCI

— Ou-oui, monsieur ? répondit Colette en prenant un air dégagé.

— Tu as perdu ça ! dit-il en lui **TENDANT** un emporte-pièce en forme d'étoile que Pam avait semé dans sa **fuite**.

— Ah… mais c'est mon… mon bracelet ! improvisa l'étudiante en passant son bras dans l'accessoire. *Mercimercimerci* !

Et sans un mot de plus, elle tourna les talons et s'engouffra dans la chambre.

Après s'être assurées que le recteur était bel et bien parti – par chance, dans la **direction** opposée –, les deux amies se glissèrent à nouveau dans le couloir et gagnèrent enfin leur destination : la cuisine du collège de Raxford !

Là, Paméla aligna sur la table tous les ingrédients et le MATÉRIEL qui lui serviraient à
préparer ses gâteaux. Puis elle prit un saladier
et y cassa un œuf en claironnant :
– **Pâte à biscuits : c'est parti !** - - - - -
Au même instant, la pièce fut plongée dans le
NOIR !   *OuIII !!!*

– Hé, pas de blagues ! s'indigna
la jeune fille.
Au bout de quelques minutes,
la porte de la CUISINE
s'ouvrit, les lumières
se rallumèrent et
Paulina, Violet et
Nicky entrèrent.
– Le réseau
électrique du
collège est

tombé en panne, raconta Violet. L'ÉCLAÏ-RAGE fonctionne à nouveau, mais il n'y a toujours **PAS DE COURANT** dans les prises ni dans les fils alimentant les gros appareils électroménagers. La réparation prendra un certain temps…

– Mais comment vais-je faire ? S'ALARMA Paméla. Sans électricité, pas de four ! Le buffet ne sera jamais prêt à temps pour la FÊTE !

Ses amies la dévisagèrent en silence : elles étaient bel et bien dans le pétrin !

– Réfléchissons : il doit bien y avoir une solution !

– D'accord, mais où trouver une personne qui veuille bien nous prêter… sa CUISINE ? soupira Violet en secouant la tête.

– Franchement, je n'en sais rien… répliqua Pam d'une voix un peu abattue. Je ne vois…

Brusquement, elle se tut.

– **Attendez, j'ai une idée !**

Sous le regard intrigué de ses amies, elle sortit son téléphone de la poche de son tablier et composa un numéro.

– Allô, Tamara ? Bonjour, c'est Paméla. L'autre jour, tu m'as dit que je pouvais compter sur toi en cas de problème. Eh bien, j'en ai un gros : j'aurais besoin que tu m'aides, si possible... **tout de suite** !!!

S.O.S. PÂTISSERIE !

Les Téa Sisters **CONNAISSAIENT** Tamara depuis un moment, mais jamais encore elles n'étaient allées chez elle.

La première chose qu'elles perçurent en entrant fut une délicieuse **ODEUR** de biscuits tout juste sortis du four. Tamara les accueillit avec un grand sourire.

BIENVENUE !

– Bienvenue, mesdemoi-selles !

– Merci de mettre ta cuisine à notre disposition ! lui dit aussitôt Paméla.

– C'est la moindre des choses, répliqua

Recette : GLAÇAGE AU SUCRE

1 Dans un bol, MÉLANGE le sucre et l'eau jusqu'à obtenir une préparation lisse et sans gru-meau.

Il te faut :
100 g de sucre glace, 2 cuillerées à soupe d'eau bouillante et des vermicelles multicolores.

AIMABLEMENT la jeune femme. Et tu vois, j'ai cuisiné, moi aussi !

La table de sa cuisine était couverte de biscuits en forme de cœur, que Tamara avait commencé à décorer avec du glaçage et des vermicelles en sucre de toutes les couleurs.

– Oh, comme ils sont beaux ! s'exclama Colette.

– Et comme ils ont l'air bons... ajouta Nicky. Depuis que je suis ici, mon ventre n'arrête pas de GARGOUILLER !

– Tant mieux ! répondit Tamara en riant. Je

les ai faits exprès pour vous! Dès que le thé sera prêt, nous prendrons le GOÛTER. Mais en attendant, racontez-moi un peu : que comptez-vous préparer pour ce SOIR? Avez-vous tranché?

– Comme notre **recteur** aime beaucoup le CHOCOLAT, nous avions pensé à des muffins au chocolat, raconta Violet.

– Très bien... et à part ça, quels sont ses goûts?

– Il adore lire! répondirent en chœur les Téa Sisters.

– Dans ce cas, pourquoi ne pas lui concocter

Recette : BOOKCAKES au chocolat

INGRÉDIENTS

- 150 g de farine
- 100 g de beurre fondu refroidi
- 120 g de sucre glace
- 2 œufs
- 3 cuillerées à soupe de cacao en poudre
- 1 cuillerée à café de levure

1 VERSE tous les ingrédients dans une terrine et mélange-les rapidement.

2 RÉPARTIS la pâte dans des moules à muffins et METS-les à cuire dans un four préchauffé à 200 °C, pendant 10 à 15 minutes.

3 Quand les gâteaux sont refroidis, GARNIS-les d'une rosace de crème au chocolat. (recette ci-dessous).

Recette : CRÈME au chocolat

INGRÉDIENTS

- 120 g de chocolat à pâtisser
- 150 g de beurre ramolli
- 150 g de sucre glace
- 1 sachet de sucre vanillé

1 DEMANDE à un adulte de faire fondre le chocolat au bain-marie, puis laisse-le refroidir.

2 Dans une terrine, MÉLANGE le beurre et les sucres jusqu'à obtenir une pâte onctueuse. Ajoute le chocolat et remue jusqu'à ce que la préparation ait la consistance d'une crème moelleuse.

3 Laisse refroidir, et DÉPOSE une rosace de crème sur chaque muffin.

Recette : DES LIVRES à dévorer !

1 ÉTALE la pâte à sucre au rouleau, puis découpe-la en autant de rectangles qu'il y a de carrés de chocolat (Il faut que le rectangle puisse entourer le carré de chocolat).

INGRÉDIENTS

- 1 pain de pâte à sucre colorée
- 1 petite tablette de chocolat blanc

2 GLISSE chaque carré dans une «couverture» de pâte, et le tour est joué : tu viens de réaliser les plus savoureux des livres!

3 Pour égayer leurs couvertures, DÉCOUPE des cœurs ou des fleurs dans de la pâte à sucre d'une autre couleur. Pour finir, POSE chaque livre sur une rosace de crème : les BOOKCAKES sont terminés!

Varie la couleur de tes livres...

Pour cela, BADIGEONNE la pâte à sucre avec un colorant naturel : gouttes de jus de FRAISE pour le ROSE, SAFRAN dilué dans un peu d'eau tiède pour le JAUNE...

Et voilà ton petit chef-d'œuvre !

FAIS-TOI TOUJOURS AIDER ET CONSEILLER PAR UN ADULTE!

des muffins, voire des cupcakes *sur mesure*... qu'on appellerait bookcakes ?

Et c'est ainsi que, au terme d'un après-midi de bavardage et de **délectables** essais, les **bookcakes** furent prêts, régals tant pour le palais que pour les yeux !

– M. de Ratis va être aux anges ! SE RÉJOUIT Paulina.

– Je ne sais vraiment pas comment te REMER-CIER ! s'exclama Colette en serrant Tamara dans ses bras.

– Moi si, répliqua Paméla en finissant de lécher une cuillère nappée de CHOCOLAT. Tamara, tu es officiellement invitée à la fête de notre recteur !

– D'accord, mais à une CONDITION : c'est moi qui me charge du gâteau d'anniversaire, proposa très sérieusement la jeune femme.

– Pas de problème ! conclut Pam avec un grand sourire. Rien que cette crème de ta fabrication est...

à tomber par terre !

SURPRISE !

Dans la grande salle du collège, tout était fin prêt pour le lancement de la FÊTÉ SUR-PRÎSÉ : les étudiants étaient arrivés, les musiciens occupaient la scène et le buffet avec ses **bookcakes** mettait l'eau à la bouche.

Soudain, Craig fit *IRRUPTION* dans la salle, suivi du professeur Ratcliff et de Mme Ratinsky.

– Nous avons demandé au recteur de venir tout de suite !

– Parfait ! Nous n'attendons plus que lui, pas

vrai, les filles ? répondit Colette en finissant d'aligner des **PÂTISSERIES**.

Paméla promena un regard satisfait sur la table couverte de petits **GÂTEAUX**, biscuits et autres BOUCHÉES gourmandes.

– Franchement, ce buffet est **extraordinaire** ! souffla-t-elle.

Au même instant, Tamara entra par une petite porte située au **FOND** du gymnase, en poussant un chariot à desserts.

VOILÀ !

– Je suis là, les amies, contente de vous avoir enfin trouvées !

– Sois la bienvenue ! la salua Nicky.

– Où est... le gâteau ? demanda Pam, perplexe.

– **Sous tes yeux !** répliqua la jeune femme en désignant une pile de Ⓛ ⓘ Ⓥ Ⓡ Ⓔ Ⓢ entièrement comestible.

– Waouh ! Le recteur en restera sans… commença Paulina.

Mais avant qu'elle ait eut le temps de finir sa phrase, son attention fut attirée par Vanilla, qui venait vers elles en poussant son propre

chariot, sur lequel trônait une **PIÈCE MONTÉE** multicolore. Et comme toujours, Connie, Alicia et Zoé trottaient à sa suite.

– Ce sont des PETITS GÂTEAUX ? s'enquit Violet, stupéfaite.

– Oui, mais pas n'importe lesquels : des MACARONS ! répondit dédaigneusement Vanilla. On ne pouvait tout de même pas présenter au recteur trois misérables BISCUITS de votre fabrication ! J'ai demandé à maman de me faire livrer des douceurs dignes de ce nom, sorties de la plus prestigieuse pâtisserie de l'île des Baleines !

LES GÂTEAUX FAITS MAISON, PERSONNE N'AIME ÇA !

– Comment oses-tu ? s'emporta Paméla.

– Laisse, ne t'énerve pas ! intervint Tamara.

Au même instant, Shen, qui faisait le guet dans le couloir, revint en courant.

– **IL ARRIVE ! TOUS EN PLACE !**

Peu après, le héros du jour franchit la porte et tous lancèrent en chœur : « Surprise !!! »

M. de Ratis, qui ne s'y attendait pas, en fut... tout ému ! Et la fête se passa au mieux.

N'en déplaise à Vanilla, ce furent les très originaux **bookcakes** préparés par les Téa Sisters avec l'aide de la talentueuse Tamara qui *INTRIGUÈRENT* le plus les convives.

Et le gâteau d'anniversaire eut encore plus de succès ! Le recteur tint à féliciter personnellement sa créatrice.

– Mademoiselle Tamara, les élèves m'ont dit que c'était vous qui aviez **préparé** cette merveille : je ne savais pas que vous travailliez aussi dans la *pâtisserie* !

– Ce n'est pas le

MES COMPLIMENTS !

MERCI !!!

cas... Je me contente du *Zanzibazar,* répliqua la jeune femme en riant. Les gâteaux ne sont qu'un passe-temps pour moi...

– Eh bien, permettez-moi de vous dire que celui-ci semble l'œuvre d'une professionnelle ! ajouta le recteur de Ratis en se resservant.

– C'est vrai, renchérit Colette. Tu es si **douée** que tu pourrais changer de métier !

– Tu n'y as jamais pensé ? demanda Nicky.

Tamara soupira.

– Pour tout vous dire, si... Quand j'étais petite, je passais des heures à m'IMAGINER à la tête de mon joli petit établissement. Mais en grandissant, j'ai compris que la passion était une chose, la réalité une autre.

– Mais la réalité, c'est que tes **DESSERTS** sont délicieux ! plaida Paulina.

– Ils sont bons, mais pas autant que ceux de

ma *grand-mère Daisy*. Elle, elle avait vraiment du talent !

Les Téa Sisters la dévisagèrent, étonnées.

Tamara leur expliqua qu'elle avait pris goût à plonger les mains dans la **FARINE** en regardant faire sa grand-mère qui, bien des années plus tôt, tenait un SALON DE THÉ sur l'île des Baleines.

La jeune femme sortit une photo de son sac, qu'elle montra à ses amies.

– Le voilà ! Quand les habitants de l'île avaient **envie** de gâteaux, c'est *Chez Daisy*, rue des Marguerites, qu'ils allaient ! On raconte qu'à l'heure où ma grand-mère sortait ses tartes du four, les clients faisaient la queue à sa PORTE ! Sa pâte brisée était si bonne que les tartes partaient… comme des petits pains !

– Ta grand-mère était une grande pâtissière, mais tu n'as rien à lui envier !

insista Violet. Tu as toutes les compétences requises pour lancer ta propre PÂTIS-SERIE ! Pourquoi ne pas essayer ?

– Non, je ne serais pas à la hauteur, répondit Tamara avec un SOURIRE teinté de mélancolie. Puis elle jeta un dernier regard à la photo et la rangea dans son sac.

GRAND-MÈRE
À LA RESCOUSSE !

Ce soir-là, avant de s'endormir, Paméla pensa à son **frère** Vince.

Depuis qu'il était tout petit, son rêve était de devenir un bon pizzaiolo, comme son papa. Et il avait GRANDI bercé par l'idée qu'un jour il préparerait les **PIZZAS** les plus succulentes de tout New York, sans jamais douter d'y arriver, ne serait-ce une seconde.

BIEN !

ET VOILÀ !

Sans doute sa détermination et son assurance venaient-elles du fait que tous les membres de leur famille l'avaient toujours soutenu et ENCOURAGÉ, songea la jeune fille en se retournant dans son lit.

Tamara, elle, avait gardé son rêve pour elle ; et, faute de conseils et d'éloges peut-être, elle s'était mis dans la tête qu'elle n'avait pas les QUALITÉS requises.

Les Téa Sisters auraient beau lui répéter que ses gâteaux égalaient ceux des **meilleures** pâtisseries, jamais elle ne les croirait.

Il fallait l'intervention de quelque chose ou de quelqu'un qui lui fasse prendre conscience de sa valeur. Quelqu'un comme…

– *Grand-mère Daisy !* s'exclama Colette en se redressant dans son lit.

– Aaaaah !!! cria Paméla, effrayée.

– Oh, désolée ! s'excusa son amie en allumant la

lumière. Je réfléchissais à la manière d'aider Tamara à prendre **CONFIANCE** en elle… et brusquement j'ai compris que la seule dont l'avis pouvait compter était sa *grand-mère Daisy* ! Mais au passage je t'ai réveillée… pardon pardon pardon !!!

Amusée de constater que toutes les **DEUX** avaient tenté de trouver une solution au même problème, Paméla répondit :

– Ne t'excuse pas ! Moi aussi, je pensais à elle et… je suis arrivée à la même conclusion que toi ! Pile poil !!!

Colette sourit.

– Alors, il ne nous reste plus qu'à en parler aux autres, demain !

– Demain, oui, car dans l'immédiat nous ferions mieux de dormir, conclut sa sœur de cœur en BÂILLANT.

Certaines d'avoir trouvé la solution, les deux jeunes filles sombrèrent dans un sommeil BIENHEUREUX.

Le matin venu, Colette et Pam exposèrent leur plan à leurs amies : faire appel à *Mme Daisy* pour convaincre Tamara de son talent !

L'après-midi même, les Téa Sisters se présentèrent au domicile de la vieille dame. Celle-ci habitait une *charmante* petite maison aux fenêtres garnies de rideaux à carreaux et de jardinières fleuries, tout près d'une PLAGE.

La première chose que les cinq étudiantes

perçurent en **entrant** fut, comme chez Tamara, une odeur alléchante de pâtisserie !

Mme Daisy les mena sur sa terrasse, déposa un GÂTEAU encore chaud sur la table basse, puis s'assit auprès d'elles.

– Eh bien, mesdemoiselles, en quoi puis-je vous être UTILE ? demanda-t-elle enfin.

Colette s'éclaircit la voix.

– Voilà… nous sommes **VENUES** vous parler de votre petite-fille…

– Tamara aimerait énormément devenir *pâtissière professionnelle*, mais elle ne s'en croit pas capable, expliqua Nicky. Pourriez-vous nous aider à la détromper ?

Mme Daisy regarda les Téa Sisters avec des yeux ronds.

– Tamara… pâtissière ?

– Euh… oui… confirma Violet, **SURPRISE** à son tour. Vous ne saviez pas qu'elle rêve depuis toujours de marcher sur vos traces ?

La vieille dame secoua lentement la tête, puis l'étonnement céda la place à la fierté. Et son visage s'éclaira d'un **SOURIRE** céleste quand elle apprit, de la bouche des Téa Sisters, comment Tamara les avait tirées du pétrin et le succès que ses créations si exquises et ORIGINALES avaient remporté.

– Elle a reçu une **AVALANCHE** de compliments, précisa Paulina, mais, elle s'obstine à répéter qu'elle n'est pas assez bonne, c'est-à-dire... *pas aussi bonne que vous !*

– C'est la raison pour laquelle nous pensons que si vous lui parliez, elle deviendrait plus sûre d'elle, conclut Colette.

– Je serais très heureuse d'aider ma petite-fille à réaliser son rêve d'enfant ! s'exclama leur hôtesse. Mais je la connais : j'aurai beau lui répéter qu'elle est aussi bonne *pâtissière* que moi, si elle pense le contraire, elle ne m'écoutera pas ! Parler ne suffira pas...

L'espace de quelques instants, la belle terrasse qui donnait sur la **PLAGE** demeura silencieuse.

Puis Paméla s'écria :

– Tamara n'a que faire de belles paroles ? Pas de problème ! Nous lui fournirons la preuve concrète de son talent !

– Ah oui, et comment ça ? s'enquit Paulina, incrédule.

– C'est vrai que ça risque d'être compliqué, renchérit Nicky.

– **Faites-moi confiance !** répondit Pam. Je viens d'avoir une...

UN APRÈS-MIDI SPÉCIAL

L'idée de Paméla était simple : entraîner Tamara dans la préparation d'un goûter **spécial** aux côtés de la pâtissière qu'elle admirait le plus, autrement dit sa grand-mère !

Puisque les mots ne suffisaient pas à lui faire entendre RAISON, ses amies laisseraient parler les faits ou plutôt… les **DESSERTS** !

Un après-midi, après s'être entendues avec Mme Daisy, les Téa Sisters se rendirent en TAXI au *Zanzibazar* pour y chercher Tamara.

Celle-ci fut étonnée de les voir, et encore plus surprise qu'on lui bande les **YEUX** avec le foulard de Colette – jusqu'au dernier moment, Tamara devait ignorer où ses amies l'emmenaient.

– Les filles, pourquoi ne pas me dire où on **VA** ? Je brûle de curiosité ! s'insurgea-t-elle en riant.

– Encore un peu de patience : on y est presque ! gloussa Paulina.

Enfin, le petit groupe parvint à destination et Violet s'empressa d'enlever son bandeau à Tamara.

– **On est arrivées !**

La jeune femme regarda autour d'elle sans comprendre.

– Mais... c'est la maison de ma grand-mère ! Que faisons-nous ici ?

– Pour commencer, j'aimerais que tu enfiles ça ! répondit *Mme Daisy*, qui était sortie les accueillir et tendait à sa petite-fille un tablier identique au sien.

– Prête à lutter jusqu'à la dernière **cuillère de farine** pour cuisiner la meilleure tarte? lui demanda joyeusement Pam.

Tamara savait de moins en moins à quoi s'en tenir.

– Le seul moyen de te convaincre que ton *rêve* peut devenir réalité est de te prouver que tu es aussi douée que ta grand-mère, commença à expliquer Colette.

– Vous allez donc préparer ensemble sa spécialité : une tarte aux myrtilles, poursuivit Nicky.

– Comme quand tu étais **petite**, termina Violet.

– Les filles, trêve de bavardages, il est temps de commencer ! intervint Paulina.

Sans être complètement revenue de sa SUR-PRISE, Tamara passa son tablier et retroussa ses manches.

Et, comme l'espéraient ses amies, il ne fallut pas longtemps avant que ses doutes s'évanouissent et qu'elle commence à s'amuser !

Tandis qu'elles PÉTRISSAIENT la pâte brisée, grand-mère et petite-fille se mirent à bavarder, rire et partager des souvenirs, mais aussi divers ASTUCES de cuisine.

– Tu vois, moi, j'y ajoute un zeste de citron, dit Mme Daisy.

– Ah, c'est de là que vient son parfum si **par-ticulier** ! Je vais essayer aussi !

Souvenir après souvenir, Tamara et sa grand-mère étalèrent leurs deux boules de PÂTE, en tapissèrent deux moules, puis garnirent ceux-ci et les enfournèrent. Bientôt, la CUISINE se remplit d'une odeur littéralement irrésistible !

– Vous avez vu Tamara ? commenta Colette. Pendant qu'elle s'activait avec sa grand-mère, ses yeux brillaient ! Pam, laisse-moi te dire que

TU AS ÉTÉ GÉNIALE !

Recette : LA TARTE de grand-mère Daisy

INGRÉDIENTS

POUR LA PÂTE BRISÉE

- 300 g de farine
- 150 g de sucre
- 175 g de beurre ramolli
- 1 œuf entier + 1 jaune
- le zeste d'un citron

POUR LA GARNITURE

- une confiture que tu aimes

UNE TARTE... SPÉCIALE !

1 MÉLANGE tous les ingrédients, puis pétris jusqu'à obtenir une boule de pâte compacte. Laisse-la reposer au réfrigérateur 30 minutes.

2 Ensuite, COUPE la pâte en deux et mets-en 1/3 de côté pour la décoration. Avec un rouleau à pâtisserie, ÉTALE finement la plus grande partie.

3 DÉPOSE la pâte étalée dans un moule préalablement garni de papier cuisson, puis recouvre-la de confiture.

4 APLATIS le reste de la pâte au rouleau, puis DÉCOUPE-la en bandes que tu disposeras joliment sur le dessus de ta tarte.

5 ENFOURNE à 180°C pour 40 minutes.

FAIS-TOI TOUJOURS AIDER ET CONSEILLER PAR UN ADULTE !

LE VERDICT
DU JURY

Peu après que Tamara et sa grand-mère eurent sorti leurs TARTES du four, on sonna à la porte.

– Et voici… comment dire… nos INVITÉS !
annonça Colette, qui alla ouvrir.

Sur le seuil de la cuisine apparurent bientôt Ron, Shen et Tanja.

– Bonjour, les amis… murmura Tamara en lançant aux Téa Sisters un regard INTERRO-GATEUR.

– Nous les avons conviés à prendre le goûter avec nous et en échange ils rendront un avis IMPARTIAL sur vos desserts ! expliqua Colette en conduisant les nouveaux venus jusqu'à la table, où les attendaient deux tartes aussi *belles* qu'**alléchantes**.

Puis elle tendit une fourchette à chacun des membres du jury et dit :

– Et maintenant, à vous de goûter et de nous donner votre avis !

Ron, Shen et Tanja commencèrent par **OBSERVER** les deux pâtisseries. Puis chacun se **COUPA**

une part de la première tarte, en prit une bouchée et la mâcha **CONSCIENCIEU-SEMENT** pour en apprécier la saveur. Après quoi, tous trois répétèrent l'opération avec la seconde.

– Alors ? demanda Paméla. Dites-nous franchement ce que vous en pensez !

_Ces tartes sont vraiment délicieuses !

commenta Ron, sans la moindre hésitation.

– Tout à fait d'accord ! ajouta Shen en piochant
de nouveau dans son ASSIETTE.

– Tant mieux, mais… quelle est la meilleure ?
insista Nicky, impatiente de connaître leur ver-
dict.

Tanja la fixa d'un air PERPLEXE. Puis elle
regarda, tour à tour, chacun des desserts et chacun de ses compagnons, avant de répondre :

– Va savoir…

– Comment ça, « va savoir » ?! s'étonna Tamara,
qui se tenait légèrement en retrait.

– Je suis incapable de **TRANCHER**, expliqua Tanja. Toutes les deux sont divines !

– Je confirme, ajouta Shen.

– Moi aussi, conclut Ron en souriant.

– Donc… commença Pam.

– … la **TARTE** de Tamara est aussi bonne que la mienne, termina Mme Daisy en adressant un regard complice à sa petite-fille.

Mais Tamara demeurait sceptique : alors même que ses **amis** les avaient déclarées ex aequo, elle continuait à se poser des QUESTIONS.

À un certain moment, Colette s'approcha d'elle et lui tendit une assiette.

– *Tiens, pour toi aussi, c'est l'heure du goûter !*

La jeune femme mangea un premier morceau de tarte, puis marmonna tout bas :

– Je le savais : jamais je ne parviendrai à obtenir une telle **SAVEUR** !

– C'est pourtant ce que tu as fait ! triompha Paméla.

Le morceau que tu as dégusté provient de TA tarte !

Tamara dévisagea son amie, bouche bée ; puis sa *grand-mère* s'approcha d'elle et la prit dans ses bras.

– Le moment est venu de laisser de côté tous tes doutes pour te consacrer enfin à ta passion et faire la fierté de ta mamie ! Ouvre ce **SALON DE THÉ** dont tu rêves tant !

– Mais je… tenta d'objecter la jeune femme.

– Chhhut ! dit **gentiment** Mme Daisy.

Ouvrant un tiroir de son buffet, elle en sortit un gros **cahier** avec l'image d'une marguerite sur la couverture.

– Voici un petit cadeau pour toi ! déclara-t-elle. Je suis sûre que tu en feras bon usage.

Tamara le prit et **tourna** ses pages couvertes d'une écriture minuscule mais claire.

– Mais… mais… c'est ton cahier de recettes ! Incroyable ! **Merci, grand-mère** !

Toutes deux s'étreignirent longuement, ce qui ne manqua pas d'**ÉMOUVOIR** les Téa Sisters. Car avec ce cahier, ce n'étaient pas seulement des secrets culinaires qui se transmettaient d'une génération à l'autre, mais aussi…

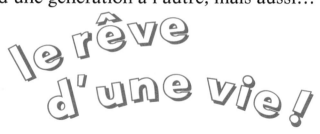

le rêve d'une vie !

LOCAL DE RÊVE À LOUER

Après le délicieux après-midi passé auprès de sa *grand-mère*, Tamara reconnut enfin qu'elle était une extraordinaire pâtissière et mobilisa toute son énergie pour **transformer** son rêve en réalité. À tel point que lorsque les Téa Sisters passèrent au *Zanzibazar*, au début de la semaine suivante, elles la trouvèrent… en plein **DÉMÉNAGEMENT** !

– Que de cartons ! s'exclama Paméla en zig-zaguant entre les **BOÎTES** dans lesquels Tamara rangeait les accessoires qu'elle avait jusqu'alors destinés à la vente.

– Comme tu dis ! soupira la jeune femme. Et tu as vu ce qui reste sur les **ÉTAGÈRES** ?

Les cinq étudiantes regardèrent autour d'elles en souriant : certes, Tamara avait encore beaucoup de travail, mais bientôt une nouvelle aventure commencerait ! Une fois définitivement refermée la porte du *Zanzibazar*, elle ouvrirait enfin son SALON DE THÉ !

– Tu as déjà pensé à la manière dont tu aménageras ton nouveau local ? lui demanda Nicky.

– Bien sûr ! J'ai même tracé un **PLAN** ! répondit Tamara en cherchant sur le comptoir, puis entre les cartons une grande feuille qu'elle fit voir à ses amies. Regardez, il me faut un coin cuisine, un beau présentoir vitré où exposer mes **DOUCEURS**, un comptoir et naturellement beaucoup d'espace pour les tables. Bref, un endroit assez grand.

– Et les murs, comment les vois-tu ? s'enquit Violet.

– En *COULEUR* ! répliqua spontanément la jeune femme. Mais je n'ai pas encore choisi la teinte. Vous avez des idées ?

– Rose ! lança Colette sans même avoir besoin de réfléchir.

Les autres ne purent s'empêcher de RIRE.

— Ben quoi ? Un salon de thé rose rempli d'exquises pâtisseries, pour moi, c'est l'endroit **idéal** ! ajouta la jeune fille en haussant les épaules.

À cet instant, la porte s'ouvrit et Paulina, qui avait dû retourner brièvement à Raxford, se **RUA** à l'intérieur du magasin.

— Les amies, vous ne devinerez jamais ce que j'ai **VU** !

Sur le chemin, la jeune étudiante avait remarqué une ruelle où elle n'était jamais passée : la rue des Marguerites.

– J'ai réfléchi une seconde, puis ça m'est revenu : le commerce de *Mme Daisy* se situait dans cette rue.

– Tiens, c'est vrai, fit Paméla.

– Par curiosité, j'ai voulu voir à quoi ressem-

blait le BÂTIMENT, poursuivit Paulina, et j'ai découvert que son REZ-DE-CHAUSSÉE était vacant.

– Excellente nouvelle ! Vous imaginez ? Tamara pourrait le louer et ouvrir son salon de thé à l'endroit même où se trouvait celui de sa grand-mère ! s'émerveilla Colette.

– Certes, mais comment dénicher le propriétaire ? demanda Nicky.

Paulina SOURIT, puis sortit un papier de sa poche.

– C'est fait ! Après ma petite observation, j'ai remis ma course à plus tard et j'ai enquêté…

– Bravo, Pilla ! fit Violet.

– Et comment l'as-tu trouvé ?

– J'ai simplement posé la question à une vendeuse de la boutique voisine. Le local appartient à un certain M. York, dont voici le numéro de **téléphone** ! conclut la jeune fille en tendant le papier à Tamara.

Aussitôt, Paméla dit à celle-ci :

– Eh bien, qu'est-ce que tu attends ? **AP-PELLE-LE** !

Portée par l'enthousiasme de ses **amies**, Tamara prit son téléphone et, bravant sa timidité, composa le numéro.

Mais à voir sa mine pendant qu'elle parlait, les Téa Sisters comprirent que les choses ne se **PRÉSENTAIENT** pas aussi bien qu'elles l'espéraient.

JE VOIS...

– Oui, bien sûr… Je vois… Je vous en remercie. Au revoir ! conclut la jeune femme à la fin.

– Alors, qu'est-ce qu'il t'a dit ? lui demanda Nicky quand Tamara eut raccroché.

Celle-ci SOUPIRA.

– Ma proposition n'a pas eu l'air de l'emballer, c'est le moins qu'on puisse dire. J'avais l'impression de l'**ENNUYER**, comme si je le dérangeais. Enfin, il a quand même accepté de me rencontrer demain.

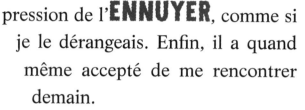

– C'est déjà ça ! Si tu as obtenu un rendez-vous, tout n'est pas perdu, fit valoir Violet.

– Tu as raison, mais je ferais mieux de ne pas trop m'*attacher* à ce projet... murmura Tamara en retournant à ses CARTONS.

Quand les cinq **étudiantes**

ressortirent du *Zanzibazar*, Nicky lança à ses amies :

– Ah, si seulement nous pouvions lui donner un coup de pouce !

– **Oui, mais comment ?** demanda Pam.

Colette réfléchit quelques instants, puis **REGARDA** les autres avec l'air de celle qui a trouvé une **IDÉE**.

– Facile : en faisant comprendre au propriétaire qu'aux yeux de Tamara…

CET ENDROIT EST VRAIMENT UNIQUE !

VOYAGE DANS LES SOUVENIRS

En découvrant le local qui, à une époque, accueillait la pâtisserie *Chez Daisy*, un mot et un seul venait à l'esprit : **adorable** !

– C'est l'endroit IDÉAL ! s'exclama Colette en décollant son nez de la fenêtre.

– Et regardez le jardin : j'y verrais bien des tables en fer forgé, pas vous ? dit Violet.

Pour toute réponse, Nicky SOUPiRA d'extase.

– Comme ce serait bien de s'installer sous cet arbre et de faire nos devoirs en mangeant des cupcakes ou une part de TARTE…

– Si tout se passe comme prévu, ton rêve pourrait très vite devenir réalité ! répliqua Pam en adressant un CLiN D'ŒiL à ses amies.

Mais le pari était loin d'être gagné : le gros problème était de réussir à convaincre M. York de louer son rez-de-chaussée à Tamara !

Pour y parvenir, les cinq amies commencèrent par RETOURNER chez Mme Daisy, à laquelle elles demandèrent de leur prêter son album PHOTO.

Puis elles rappelèrent le propriétaire et avancèrent le *rendez-vous* d'une demi-heure, de manière à pouvoir lui parler avant l'arrivée de Tamara.

Et si les choses tournaient comme elles l'ES-PÉRAIENT, elles pourraient accueillir leur amie avec la meilleure des nouvelles !

Quand M. YORK arriva et découvrit les cinq jeunes filles, il sembla très mécontent.

– Bonjour ! le salua Paulina, un grand sourire aux lèvres.

Le rongeur lui décocha un regard noir, et répondit d'un ton sec :

– Mesdemoiselles, bonjour ! Excusez-moi, mais je n'ai pas de temps à perdre ! Dites-moi laquelle de vous est Tamara.

Les Téa Sisters échangèrent un coup d'œil inquiet : décidément, ce monsieur semblait très mal *EMBOUCHÉ* !

– Justement… improvisa Paméla. Notre **amie** sera là d'une minute à l'autre. Mais comme vous êtes pressé, autant commencer la visite.

Le rongeur MARMONNA quelque chose dans sa barbe, puis leur ouvrit la porte.

Dès qu'elles furent entrées, les Téa Sisters mirent leur plan à exécution.

Paulina jeta un **bref** regard autour d'elle, avant de demander :

– Dites, pourrais-je voir le jardin ?

Dès qu'elle et M. York furent SORTIS, Colette, Pam, Violet et Nicky ouvrirent leur sac à dos et transformèrent le local vide en cabinet des souvenirs.

QUOI ENCORE ?!

PUIS-JE VOIR LE JARDIN ?

– Hé, mais qu'est-ce qui se passe ici ? s'indigna le propriétaire en revenant.

En son absence, les quatre filles avaient tendu des fils à travers toute la pièce et y avaient suspendu mille et une **PHOTOS** évoquant la vie du salon de thé de *Mme Daisy*.

– Ne nous en veuillez pas, dit Colette. Nous devions absolument vous faire comprendre ce que cet endroit signifie pour Tamara…

– C'est pourquoi nous avons eu l'idée de vous faire découvrir un peu de son histoire, qui est mêlée à celle de notre **amie**… termina Violet.

CIRCULANT entre les photos, les Téa Sisters racontèrent à M. York l'histoire d'une fillette qui, grandissant au milieu des **TARTES**, des **biscuits** et des GÂTEAUX, s'était mise

à cultiver le rêve d'ouvrir un jour son propre salon de thé.

Le PROPRIÉTAIRE regardait les photos avec une telle attention qu'il en oublia sa mauvaise humeur.

– À présent, l'enfant est devenue adulte et elle a tout le talent voulu pour réaliser son souhait le plus cher ! conclut Paulina.

Au même instant, Tamara franchit la porte et, découvrant la situation, faillit tomber à la RENVERSE !

Affaire conclue !

Debout sur le pas de la porte, Tamara regarda, tour à tour, les Téa Sisters, M. York et les **PHOTOS** de l'album de sa grand-mère.

QUE SE PASSE-T-IL ?

– Les filles... **vous êtes déjà là ?** Pourquoi avez-vous apporté... ces photos ? finit-elle par demander, assez EMBARRASSÉE.

Le propriétaire du local marcha jusqu'à elle et déclara :
– Vos amies ont imaginé un moyen très original pour

m'ouvrir les 𝔶𝔢𝔲𝔵 sur l'importance que vous accordez à ce lieu !

Si incroyable que cela puisse paraître, le rongeur revêche était devenu doux comme un agneau !

Entre-temps, Pam s'était approchée de Tamara.

– Qu'as-tu donc dans ce sac ? lui demanda-t-elle avec MALICE.

Il dégage une odeur à se LÉCHER les babines !

– Pour vous remercier de votre aide, je vous ai préparé une TARTE, répondit joyeusement la jeune femme en déballant la pâtisserie.

Puis, se tournant vers M. York, qui SUIVAIT la scène d'un air intrigué, elle lui proposa timidement :

– Je vous en sers une part ?

Sans se faire prier, le rongeur prit l'assiette que Tamara lui tendait et dégusta une bouchée de **TARTE**.

JE ME RAPPELLE CETTE TARTE !

– Une minute ! s'exclama-t-il. Ce DESSERT vraiment inimitable, je l'ai déjà mangé… quand j'étais petit !

Colette sourit.

– La tarte dont vous vous souvenez venait sûrement du salon de thé de la grand-mère de Tamara : *Chez…*

– … *Daisy* ! la devança M. YORK. C'est ça ! Mes parents m'y emmenaient parfois !

Tout en mangeant, le rongeur raconta à Tamara et aux Téa Sisters combien il aimait les desserts de *Mme Daisy* et combien son salon de thé lui évoquait de bons souvenirs…

Quand la TARTE fut terminée, Paulina déclara :

– Songez un peu, monsieur York, si Tamara pouvait ouvrir son SALON DE THÉ ici, de nombreux habitants de l'île retrouveraient, eux aussi, un lieu qui leur est cher, et d'autres pourraient s'y fabriquer des souvenirs aussi précieux que les vôtres !

Sous le regard des six filles qui retenaient leur SOUFFLE, le rongeur prit le temps d'y songer. Puis il releva les YEUX et annonça à Tamara en souriant :

– Eh bien, d'accord, mademoiselle ! Considérez cette affaire comme conclue, pour votre *bonheur*, le mien et celui de toute la population de l'île !

TOUS AU TRAVAIL !

Maintenant que Tamara avait loué le lieu idéal, plus rien ne s'opposait à la réalisation de son **PROJET**, à savoir transformer ce qui, un temps, avait été *Chez Daisy* en un nouveau salon de thé bien à elle !

Plusieurs semaines passèrent, au terme desquelles les Téa Sisters décidèrent de lui rendre visite. À l'inverse de ce qu'elles imaginaient, elles trouvèrent leur **amie** non pas affairée à **RÉGLER** d'ultimes détails, mais assise par terre au milieu de magazines de décoration et de catalogues de couleurs de **PEINTURE**.

Voyons...

– Euh, qu'est-ce qu'elle **FAIT**, d'après vous ? demanda Colette.
– Quand elle a décidé de **repeindre** les murs, elle ne savait peut-être pas qu'elle devrait choisir entre une infinité de **NUANCES**... répondit Violet à mi-voix.
Et de fait l'intéressée confirma :
– C'est vrai, je n'arrive pas à faire un choix. D'un côté, j'aimerais **garder** cet endroit comme il était à l'époque de *Chez Daisy*, dont je compte garder le nom, expliqua Tamara en leur **MONTRANT** de vieilles photos. De l'autre, j'aimerais que mon SALON DE THÉ paraisse tout neuf !

– D'après moi, tu n'es pas obligée de **choi-sir**, répondit Paméla.

– Comment ça ?

– Si tu es incapable de trancher, c'est peut-être parce que les deux **solutions** sont satisfaisantes, précisa Violet avec un sourire.

– Exact ! approuva Nicky. Tu as raison de vouloir rappeler l'*endroit* où ta passion est née, mais ton salon de thé doit porter ta patte pour devenir **UNIQUE** et bien à **TOI** !

Ragaillardie, Tamara demanda :

– D'accord, mais comment marier l'ancien et le nouveau ?

– En laissant libre cours à ton imagination et en t'appuyant sur un groupe d'amies très **spéciales** ! lui souffla Paulina.

– D'abord, il nous faut un tableau d'affichage, annonça Colette.

– À **PLACER** où ? Derrière le comptoir ? s'enquit Tamara.

– Non, non, c'est juste un accessoire de travail, expliqua Colette en riant. On y épinglera des **PHOTOS**, des essais de **COULEUR**, des échantillons de **tissu**, des **DESSINS** : tout ce qu'on trouvera joli et qui pourra nous inspirer !

Et c'est ainsi que Colette et Tamara rassem-
blèrent des photos d'époque, des coupures de
presse, des bouts d'étoffe et même des fleurs
séchées, pendant que les autres Téa Sisters bat-
taient le rappel de leurs **amis** pour lancer
les TRAVAUX.

Regonflée à bloc, la nouvelle locataire se mit à
sélectionner les teintes qui lui plaisaient le plus,
à fréquenter les BROCANTES et à tester
toutes sortes d'associations, sans plus céder…
à l'indécision !

– Alors, Tamara, qu'en penses-tu ? lui demanda
Colette en finissant d'ajuster certains orne-
ments.

La jeune femme regarda autour d'elle et
SOURIT.

Comme dans le salon de thé de sa grand-mère, il
y avait des petites tables en fer forgé, des vases

ET VOILÀ !

remplis de marguerites et des buffets en **BOIS** clair. Le tout côtoyait de la vaisselle et une décoration inédites : un choix de tasses de couleurs et de tailles variées, des présentoirs à gâteaux en porcelaine et une frise de muffins au pochoir pour rehausser les murs à rayures **ROSES**.

– C'est exactement ce que je **voulais** ! s'exclama-t-elle.

– Tant mieux, mais il me semble qu'il manque encore **QUELQUE CHOSE**, commenta malicieusement Paulina.

– Quoi donc ? s'enquit Tamara, perplexe.

À cet instant retentit le klaxon du  de Paméla.

Adressant un clin d'œil à ses sœurs de cœur, Nicky annonça :

– Justement, je crois que «la chose» en question est arrivée !

Dehors, Pam aida une visiteuse bien particulière à **descendre** de sa voiture.

– Grand-mère ?! s'étonna Tamara. Tu es venue voir où en sont les TRAVAUX ?

– Oui, ma mignonne, répondit la vieille dame. Mais je suis aussi venue t'apporter un CADÉAU !

Tamara remarqua alors un gros PAQUET sur la banquette arrière.

– C'est... c'est... bredouilla-t-elle, le cœur battant.

– Oui, lui confirma sa grand-mère. C'est la vieille enseigne de *Chez Daisy* ! Je l'avais gardée en souvenir, mais quand tes amies m'ont appris que tu comptais reprendre le nom de mon AFFAIRE, j'ai pensé que c'était à toi qu'elle revenait !

– Merci ! s'exclama Tamara en COURANT étreindre sa grand-mère. Maintenant, mon bonheur est complet !

Après l'orage, l'arc-en-ciel !

Enfin, le SALON DE THÉ dont Tamara avait tant rêvé fut prêt à ouvrir.

Il ne restait plus qu'à organiser une FÊTE d'inauguration fantasouristique !

PRESQUE FINI !

Plusieurs jours durant, Tamara prépara une montagne de petits GÂTEAUX, BIS-CUITS, bouchées sucrées à ravir le coeur (et l'estomac !) des habitants de l'île.

Les Téa Sisters, elles, entreprirent

de diffuser la **nouvelle** et de donner à l'**ÉLÉGANT** établissement un petit air de fête !

Paméla, Paulina et Nicky réalisèrent des **invitations**, qu'elles distribuèrent partout dans l'île, pendant que Colette et Violet confectionnaient d'originales **GUIRLANDES**, faites de caissettes et de napperons en papier, pour égayer la salle et le **jardin**.

Le jour venu, alors que les Téa Sisters se rendaient au **SALON DE THÉ**, de gros

Réouverture de Chez Daisy.
Invitation pour la fête d'inauguration.
Venez nombreux, à l'heure du goûter !!

Chez Daisy
15, rue des Marguerites

nuages noirs annonciateurs d'orage s'amoncelèrent.

– Mmmh… marmonna Pam en fixant le ciel, qui S'ASSOMBRISSAIT à vue d'œil. S'il se met à pleuvoir, les gens n'auront pas envie de sortir…

– Le temps va sûrement se dégager, répliqua Colette. Ne t'inquiète…

Avant même que la jeune fille ait le temps de finir sa phrase retentit un FRACASSANT coup de tonnerre !

Peu après, la pluie se mit à tomber à verse.

– Là, je crois qu'on peut commencer à s'inquiéter ! commenta Paulina.

Dès qu'elle entendit ses amies entrer, Tamara COURUT à leur rencontre.

– Les filles, vous avez vu : c'est la catastrophe ! Avec un tel orage, personne ne viendra !

Les Téa Sisters tentèrent de la **rassurer** ; mais plus elles lui répétaient que le soleil reviendrait, plus l'orage se déchaînait !

– Tant pis, je capitule, soupira Tamara. Adieu, inauguration !

– **Une minute !** l'interrompit Colette. Vous entendez ?

– Moi, rien du tout… répondit Paméla.

– Justement ! triompha son amie. La *pluie* a cessé de tomber !

Les six filles se ruèrent dehors et assistèrent à la naissance d'un bel ARC-EN-CIEL.

Colette serra Tamara dans ses bras.

– Tu as vu ! Comme dit ma grand-mère,

qu'importe l'orage,
si on peut se sécher
sous un arc-en-ciel !

Peu après commencèrent à arriver des ados, curieux de savoir en quoi consistait la fête, suivis de familles avec des enfants. Et bientôt un concert de rires **JOYEUX** emplit la salle et tout le monde se jeta sur les pâtisseries. En somme, l'inauguration de *Chez Daisy* fut une véritable **réussite** !

Recette : MERINGUES

INGRÉDIENTS

- 2 blancs d'œuf (à température ambiante)
- 160 g de sucre glace
- 1 pincée de sel
- 1 sachet de sucre vanillé

Les stars du goûter !

1 VERSE dans une terrine les blancs d'œuf, le sel et le sucre vanillé, puis fouette le tout au batteur électrique jusqu'à ce que le mélange devienne mousseux.

2 AJOUTE progressivement le sucre glace, tout en continuant à monter le mélange : tu dois obtenir une mousse dense et ferme.

3 VERSE la préparation dans une poche à douille, puis, sur une plaque à pâtisserie préalablement couverte de papier cuisson, forme les meringues.

4 ENFOURNE et laisse cuire au moins 2 heures à 80°C.

FAIS-TOI TOUJOURS AIDER ET CONSEILLER PAR UN ADULTE!

Recette : COURONNE AU YAOURT

Une couronne à croquer !

INGRÉDIENTS

- 1 yaourt nature ou à la vanille (son pot = 1 dose)
- 2 doses de sucre
- 3 doses de farine
- 1 dose d'huile d'olive
- 3 œufs
- 1 sachet de levure
- du sucre glace

1 BEURRE puis farine un moule en couronne de 24 cm de diamètre.

2 VERSE dans une terrine le yaourt, le sucre, l'huile et les œufs, puis MÉLANGE au batteur électrique.

3 AJOUTE la farine et la levure tamisées et REMUE bien (à la cuillère).

4 VERSE la pâte dans le moule et enfourne à 180°C pour 30 à 40 minutes.

5 Après avoir démoulé le gâteau, SAUPOUDRE-le de sucre glace.

FAIS-TOI TOUJOURS AIDER ET CONSEILLER PAR UN ADULTE !

LES DÉLICES...
DU CŒUR !

Quelques jours plus tard, Paulina, Colette, Violet et Pam attendaient à bord du ░░ ░░ de cette dernière, à l'entrée du collège.

– Allons, Nicky, dépêche-toi ! cria Paulina en se penchant à la fenêtre.

L'intéressée traversa la cour au petit **TROT**, sauta dans la voiture et s'installa à côté de ses amies.

– Désolée, les filles ! J'avais oublié mes **LUNETTES** de soleil, j'ai dû remonter les prendre !

– Prêtes pour notre séance de révisions gourmandes ? lança Pam en rallumant le moteur.

– Ouiiiii!!! répondirent en chœur les quatre autres à l'instant où le véhicule *DÉMARRAIT*. Depuis que Tamara avait ouvert son salon de thé, c'était là que les Téa Sisters se *RENDAIENT* chaque fois qu'elles avaient envie d'un goûter spécial. À la fin des cours, elles prenaient leurs livres et leurs cahiers et partaient étudier au milieu des effluves de **PÂTISSERIES** tout juste sorties du four.

Et elles n'étaient pas les seules à préférer cet *endroit* à tous les autres! Quelle que soit l'heure, on y *trouvait* toujours des habitants de l'île ou des touristes dégustant une part de tarte ou un bon thé en lisant ou en

BAVARDANT avec Tamara, qui se montrait toujours prévenante et souriante.

De l'avis des habitués, la petite-fille de Daisy était la reine des **DESSERTS**, mais la pâtisserie n'était pas son seul talent... Celle-là même qui au *Zanzibazar* avait le don d'écouter ses **CLIENTS** pour leur conseiller le bon cadeau ou la pièce de rechange appropriée savait toujours quel **GÂTEAU** proposer pour telle ou telle occasion.

Dès que les cinq étudiantes se furent assises à ce qui était devenu « **la table des Téa Sisters** », elles virent Tamara servir une assiette de TARTELETTES aux fruits à deux jeunes filles moroses.

– Elles sont faites avec des fraises toutes fraîches... cueillies sur l'île ce matin même ! précisa la patronne.

Quand les Téa Sisters jetèrent un nouveau coup d'ŒIL à la table, les deux filles mangeaient leur goûter à pleines dents en RIANT joyeusement !

Peu après, la porte s'ouvrit et un personnage bien connu des cinq amies entra dans le salon de thé…

– **Par mille débiellées !** C'est M. York ! s'exclama Pam.

– Et la fille qui est avec lui, vous savez qui c'est ? demanda Nicky.

– Moi non… En tout cas, elle n'a pas l'air CONTENTE, commenta Colette. Je parierais qu'ils se sont disputés.

Tous DEUX s'assirent à une table, mais la *jolie* jeune femme, qui paraissait bel et bien fâchée, se mit à consulter son **smartphone** sans accorder le moindre regard à son compagnon.

Tamara s'approcha du couple en souriant.

– *Bonjour, monsieur York !*

– Bonjour, Tamara, répondit le rongeur. Votre *salon de thé* est vraiment magnifique ! Toutes mes félicitations !

Puis il ajouta :

– Je vous présente Michelle, ma fiancée.

Cette dernière garda les **YEUX** rivés à son portable.

Tamara adressa un regard **ENTENDU** à M. York et déposa entre lui et son amie la coupe de meringues qu'elle avait à la main. Après quoi, sans dire un mot, elle s'en **ALLA**.

Au bout de quelques instants, machinalement, Michelle se servit. Une seconde plus tard, elle recommença. Enfin, elle leva les yeux vers son compagnon, lui **tendit** une meringue et... sourit !

– Tu avais raison d'insister pour que nous venions ici, Daniel ! Ce salon de thé est vraiment **irrésistible** !!!

En regardant le couple, qui à présent bavardait avec animation, Colette déclara d'une voix émue :

– Décidément, cet endroit a tout pour vous faire *fondre* ! Comme si les vœux les plus chers pouvaient y être satisfaits !

– Bien dit ! approuva Paméla en **MORDANT** dans une part de tarte. Tâchons de retenir la leçon, importante entre toutes : ce n'est qu'en croyant à nos rêves…

qu'ils deviendront réalité!

TABLE DES MATIÈRES

DANS LA MÊME COLLECTION

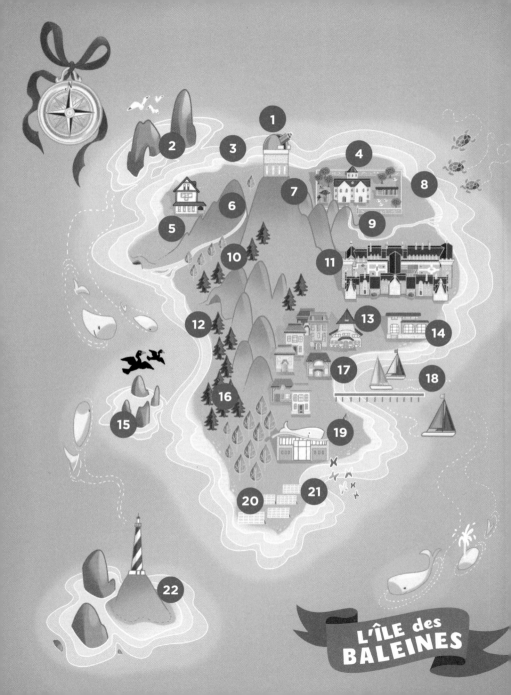

L'ÎLE des
BALEINES

L'ÎLE des BALEINES

1. Observatoire astronomique
2. Récifs des Mouettes
3. Plage des Ânons
4. Clinique vétérinaire
5. L'Auberge de Marian
6. Mont Ébouleux
7. Pic du Faucon
8. Plage des Tortues
9. Rivière Bernicle
10. Forêt des Faucons
11. Collège de Raxford
12. Grotte du Vent
13. Club de voile
14. Académie de la mode
15. Rochers du Cormoran
16. Forêt des Rossignols
17. Bibliothèque municipale
18. Port
19. Villa Marée : laboratoire de biologie marine
20. Installations photovoltaïques pour l'énergie solaire
21. Baie des Papillons
22. Rocher du Phare

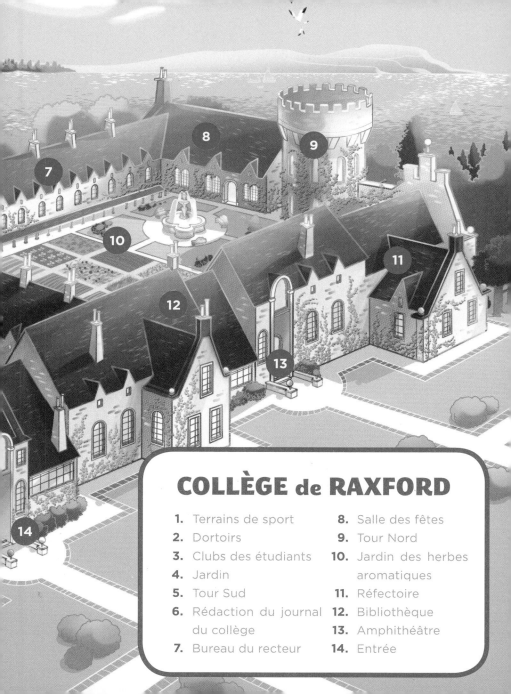

COLLÈGE de RAXFORD

1. Terrains de sport
2. Dortoirs
3. Clubs des étudiants
4. Jardin
5. Tour Sud
6. Rédaction du journal du collège
7. Bureau du recteur
8. Salle des fêtes
9. Tour Nord
10. Jardin des herbes aromatiques
11. Réfectoire
12. Bibliothèque
13. Amphithéâtre
14. Entrée

Au revoir,
à la prochaine
aventure!